El Gigante Egoísta

Oscar Wilde

Ilustrado y abreviado por

Alexis Deacon

Traducción: Carmen Diana Dearden

EDICIONES EKARÉ

A Gladys, mi abuela,
quien no es ni egoísta ni gigante.
A.D.

Traducción: Carmen Diana Dearden

Primera edición, 2013

© 2013 Alexis Deacon, abreviación
© 2013 Alexis Deacon, ilustraciones
© 2013 Ediciones Ekaré

Todos los derechos reservados

Av. Luis Roche, Edif. Banco del Libro, Altamira Sur. Caracas 1060, Venezuela

C/ Sant Agustí 6, bajos. 08012 Barcelona, España

www.ekare.com

Publicado por primera vez en inglés por Random House Children's Books
Título original: *The Selfish Giant*

ISBN 978-84-941247-6-1 · Depósito Legal B.17547.2013

T ODAS LAS TARDES, al regresar de la escuela,
los niños iban a jugar al jardín del Gigante.

Era un jardín grande, hermoso, de hierba suave
y verde. Esparcidas sobre la hierba había bellas
flores como estrellas y doce melocotoneros
que, al llegar la primavera, florecían con delicados
pétalos de color rosa y perla, y en otoño se cargaban
de ricas frutas. Los pájaros cantaban tan dulcemente
que a veces los niños paraban de jugar para escucharlos.

Un día el Gigante regresó.

—¿Qué está pasando aquí? —gritó con una voz áspera, y los niños se fueron corriendo.

—Mi jardín es mi jardín —dijo el Gigante—. Cualquiera lo sabe y no permitiré que nadie juegue en él; solo yo.

Así que construyó un alto muro alrededor y puso un letrero:

Era un gigante muy egoísta.

Llegó la Primavera y todo estaba florecido
y lleno de pajaritos revoloteando. Solo en el
jardín del Gigante Egoísta aún era invierno.
Los pájaros no querían cantar porque no había
niños, y los árboles se olvidaron de florecer.

Las únicas que estaban contentas eran la Nieve y la Escarcha.

—La Primavera se ha olvidado de este jardín —decían—.
Podremos vivir aquí todo el año.

La Nieve cubrió la hierba y la Escarcha pintó todos los
árboles de plata. Entonces invitaron al Viento del Norte
a quedarse con ellas...

... y allí fue.

Rugía todo el día por el jardín
y derribó las altas chimeneas.

—Este es un lugar maravilloso —dijo—.
Tenemos que invitar al Granizo.

Así que llegó
el Granizo.

—No puedo entender por qué
la Primavera tarda tanto en llegar
—dijo el Gigante Egoísta sentado mientras
contemplaba su frío y blanco jardín—.
Espero que cambie el tiempo.
Pero la Primavera nunca llegó, ni el Verano.
El Otoño dio frutos dorados a todos los jardines,
pero al del Gigante no le dio ninguno.
—Es muy egoísta —dijo.
Así que siempre era invierno allí, y el Viento del Norte
y la Escarcha y el Granizo y la Nieve danzaban entre los árboles.

Una mañana, el Gigante estaba despierto
en su cama cuando oyó una linda melodía.
Era apenas un pequeño gorrión cantando fuera
de su ventana, pero hacía tanto tiempo que
no cantaban pájaros en su jardín que le pareció
la música más bella del mundo. Entonces
el Granizo dejó de danzar sobre su cabeza y el
Viento del Norte dejó de rugir y un perfume
delicioso le llegó por la ventana abierta.
—Creo que por fin llegó la Primavera —dijo
el Gigante y saltó de la cama para mirar
hacia fuera.

¿Y qué vio?

Vio un espectáculo maravilloso.

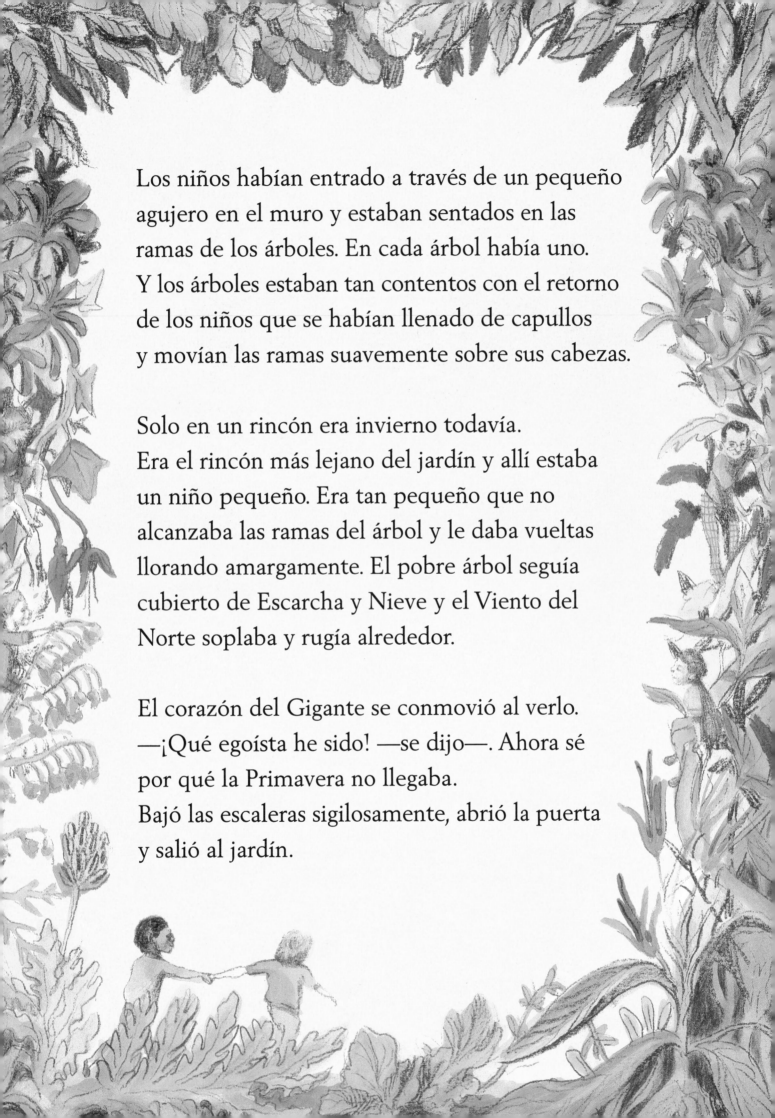

Los niños habían entrado a través de un pequeño
agujero en el muro y estaban sentados en las
ramas de los árboles. En cada árbol había uno.
Y los árboles estaban tan contentos con el retorno
de los niños que se habían llenado de capullos
y movían las ramas suavemente sobre sus cabezas.

Solo en un rincón era invierno todavía.
Era el rincón más lejano del jardín y allí estaba
un niño pequeño. Era tan pequeño que no
alcanzaba las ramas del árbol y le daba vueltas
llorando amargamente. El pobre árbol seguía
cubierto de Escarcha y Nieve y el Viento del
Norte soplaba y rugía alrededor.

El corazón del Gigante se conmovió al verlo.
—¡Qué egoísta he sido! —se dijo—. Ahora sé
por qué la Primavera no llegaba.
Bajó las escaleras sigilosamente, abrió la puerta
y salió al jardín.

Pero, cuando los niños lo vieron, se asustaron
tanto que salieron corriendo y el Invierno
retornó al jardín otra vez. El niño pequeño fue
el único que no huyó: sus ojos estaban tan llenos
de lágrimas que no vio al Gigante.

El Gigante se le acercó, lo colocó suavemente en su mano y lo subió al árbol. El árbol inmediatamente floreció y los pájaros llegaron a cantar en él. El niño pequeño le dio un abrazo al Gigante y lo besó.

Y los otros niños, al ver que el Gigante ya no era malvado, regresaron corriendo y con ellos, la Primavera.

—Este jardín es ahora de los niños —dijo el Gigante,
y con un hacha inmensa derribó el muro.

Y cuando la gente del pueblo fue al mercado
al mediodía encontró al Gigante jugando con los niños…

... en el jardín más hermoso que jamás habían visto.